D1233020

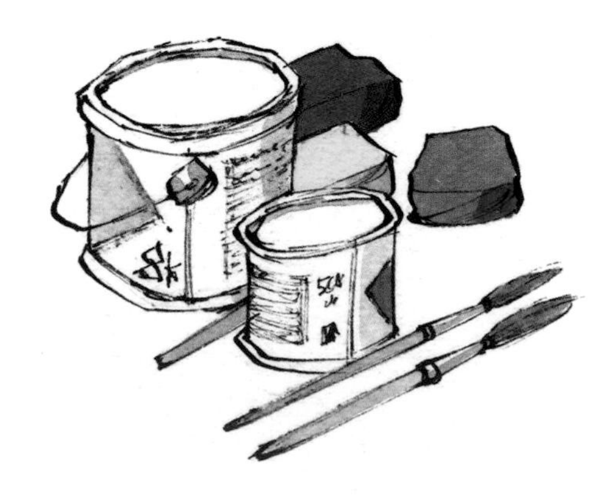

El otoño del árbol cascarrabias

Cuento: Jordi Sierra i Fabra
Dibujos: Francesc Rovira

Bruño

La calle de la Paz no era muy larga,
ni muy ancha, tal vez haciendo honor
a su nombre, porque en ocasiones la paz
parece algo pequeñito y sin importancia.

En la calle de la Paz solo había un árbol,
que extendía sus ramas por las casas,
la acera y la calzada.

Los que le conocían, sabían que el árbol
era un cascarrabias y se quejaba por todo.

—¡Cuántos coches, cuánta polución,
casi no me da el sol,
los pájaros anidan en mis ramas,
los perros hacen pis en mis raíces,
los niños se me suben como lagartos,
y encima la señora de esa ventana
me ha cortado una rama porque
estaba a punto de entrar en su piso!
¡Qué barbaridad! ¡Nadie me quiere!

Lo que peor llevaba el árbol era el tema de los niños.
Como no había un parque cerca,
todos jugaban a su alrededor o subidos
y colgados de sus ramas.

Las quejas, por supuesto, eran vegetales,
así que nadie le entendía:

—¡Ay, ay! ¡Cuidado, que me rompes
la rama, bruto! Pero ¿qué haces tú
colgado boca abajo?, ¡a ver si te caes!
¿Será posible que este me esté grabando
un corazón en el tronco?

Y cada año, al llegar el otoño...

¡Se le caían las hojas!

¡El árbol se sentía desnudo!

Entonces ya ni se enfadaba,
pero de tan triste que se ponía
casi perdía el color,
todo él amarilleaba,
cerraba los ojos
y se resignaba muy abatido.

Con todas las hojas caídas en el suelo,
los niños eran los únicos que se lo pasaban bien.
Les daban puntapiés, se las echaban unos a otros,
se zambullían en la espesura como si fuera una piscina...

Desde las ramas secas, los pájaros y el gato
de la señora Amalia eran los únicos testigos
de su amargura.

Aquel otoño, más seco que nunca
y viendo la calle inundada con sus hojas,
el árbol se puso enfermo.

¿Qué estaba haciendo allí,
solitario, en una calle tan pequeña,
él, que antes de que la construyeran
era uno más entre los árboles del bosque
que lo llenaba todo?

Hasta el gato y los pájaros se dieron cuenta
de la gravedad del asunto,
porque el árbol se secaba cada día un poquito más.

—No estés triste —le decía el gato—.
La primavera llegará rápido, ya lo verás.

—Te necesitamos —le decían los pájaros—.
Si te pasa algo, ¿dónde anidaremos nosotros?

Pero el árbol no los oía.

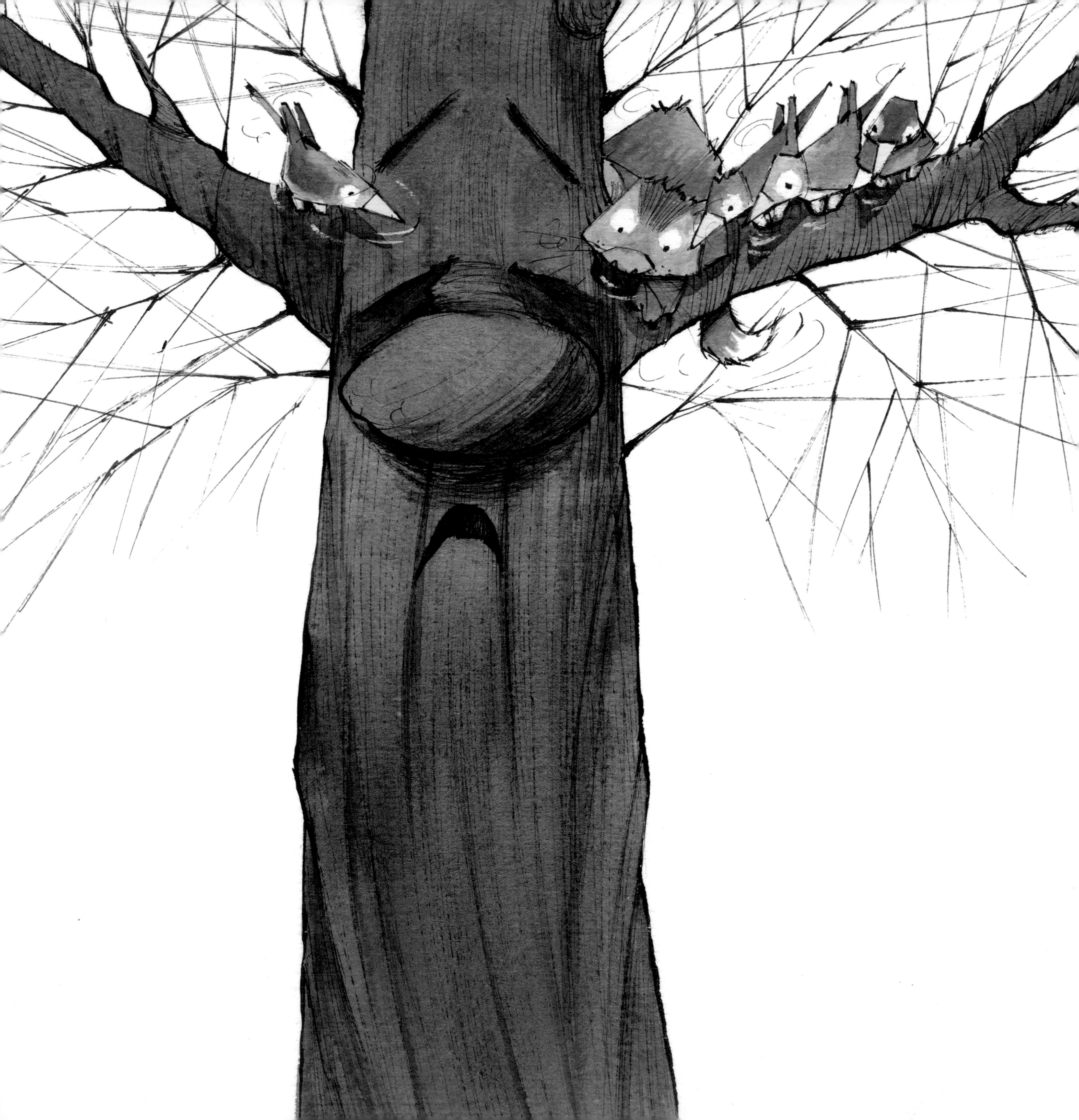

Un día llegaron unos técnicos del Ayuntamiento.
Llevaban uniformes con las iniciales
de «Parques y Jardines de la Ciudad».
Muchas personas se acercaron
para ver qué hacían y qué decían,
sobre todo los niños.

Examinaron el árbol y uno de ellos exclamó
suspirando:

—Habrá que cortarlo, porque se está muriendo.

Al viejo árbol ya le daba igual.

Pero aquella tarde sucedió algo.

Algo inesperado.

Justo cuando anochecía, todos los niños
de la calle, y otros de otras calles,
aparecieron cargados con plastilina
y con botes de cola y de pintura.

El árbol los observó desconfiado.
¡Iban a cortarlo y encima aparecían
todos aquellos pequeñajos...!
Pero ¿qué iban a hacer?

Lo que hicieron los niños fue
realmente extraordinario.

Unos empezaron a pintar las hojas
caídas por el suelo.
Otros las pegaron con cola por todas las ramas.
Y otros le colgaron bolitas de plastilina.

En un abrir y cerrar de ojos,
la calle tuvo una actividad frenética
y la gente se detenía a mirar
aquel prodigio con la boca abierta.

De parecer seco y medio muerto,
¡el árbol pasó a ser todo un espectáculo!

Al día siguiente, era el árbol más famoso
de la ciudad.

En primer lugar, lucía de fábula.
En segundo lugar, llegaron periodistas,
televisiones, fotógrafos... y se pasaron
las horas a su lado, convirtiéndolo
en protagonista del momento.

Pero lo más importante, lo más, más importante,
fue que el árbol se dio cuenta de que le querían.
Sobre todo los niños.

Aquellas hojas rojas, violetas, naranjas
o azules eran un poco... llamativas, pero,
¡qué caramba, ya no estaba desnudo!

Y lo mejor: ¡Las bolitas de plastilina
se convirtieron mágicamente en castañas
con un delicioso sabor a otoño!

El árbol jamás volvió a quejarse.
¡Que los niños jugasen subidos
a sus ramas!

La magia del cariño lo había convertido
en el castaño más famoso de la historia...
¡y en el árbol más feliz de la tierra!

Cuento: © Jordi Sierra i Fabra
www.sierraifabra.com
Dibujos: © Francesc Rovira i Jarque
www.francescrovira.net

Juan Ignacio Luca de Tena, 15
28027 Madrid

Dirección editorial: Isabel Carril
Coordinación editorial: Begoña Lozano
Edición: Bárbara Fernández
Preimpresión: Equipo Bruño

ISBN: 978-84-696-0162-4
D. legal: M-16788-2014
Printed in Spain

www.brunolibros.es

Este libro
se terminó de imprimir
en el mes de septiembre de 2014.